Wayne Shelton

LA MISSION

DENAYER
VAN HAMME

DARGAUD
BENELUX

www.dargaud.com

© 2001 DARGAUD BÉNÉLUX
© 2003 DENAYER-VAN HAMME-DARGAUD BÉNÉLUX (Dargaud - Lombard s.a.)
TROISIÈME ÉDITION
Tous droits de traduction, de reproduction et d'adaptation strictement réservés pour tous pays.
Dépôt légal : d/2003/0086/349 • ISBN 2-87129-347-3

TERRITOIRE AUTONOME DU KHALAKJISTAN (ex-URSS) VENDREDI 18 AOÛT.

'PUTAIN DE NIDS-DE-POULE À LA CON! VIVEMENT HORS DE CE PAYS D'ENCULÉS!

?!?

AÉROPORT CHARLES DE GAULLE. DIMANCHE 22 OCTOBRE.

BIENVENUE À PARIS, M.SHELTON. JE SUIS FRANZ CARINI, LE SECRÉTAIRE DE M.QUAYLE POUR SES OPÉRATIONS FRANÇAISES.

BIEN. NE PERDONS PAS DE TEMPS. JE SUPPOSE QUE VOUS AVEZ UNE VOITURE ?

TAXIS
SORTIE

HEU... OUI... BIEN SÛR...

M.QUAYLE M'A DIT QUE VOUS AVIEZ TRAVAILLÉ POUR LUI ET QUE...

DITES AU CHAUFFEUR DE PRENDRE LA PREMIÈRE SORTIE !

MAIS !?...

FAITES CE QUE JE VOUS DIS !

CETTE MERCEDES NOUS SUIT DEPUIS ROISSY. DES GENS À VOUS ?

NON ! CE SONT PROBABLEMENT LES SUD-AFRICAINS !

C'EST SANS IMPORTANCE, ILS SAVENT OÙ NOUS ALLONS ! M.QUAYLE VOUS EXPLIQUERA.

3

JOLI PIED-À-TERRE. JE SUPPOSE QUE QUAYLE M'ATTEND DANS SON ABRI ANTIATOMIQUE ?

EN EFFET, MAIS... COMMENT SAVEZ-VOUS QUE...?

TOUT LE MONDE SAIT QUE HORACE T. QUAYLE, PRÉSIDENT DE LA TEXAS INVESTMENT TRUST A FAIT CONSTRUIRE UN ABRI ANTIATOMIQUE SOUS CHACUNE DES RÉSIDENCES QU'IL POSSÈDE À TRAVERS LE MONDE.

À CHACUN SA PHOBIE.

SANS DOUTE. QUELLE EST LA VÔTRE, M. SHELTON ?

ILS DESCENDENT, MONSIEUR.

J'EN AI PLUSIEURS. ENTRE AUTRES, LES JEUNES SECRÉTAIRES AMBITIEUX ET SANS SCRUPULES.

C'EST... C'EST POUR MOI QUE VOUS DITES ÇA ?

JE NE SAIS PAS ENCORE.

VOUS ÊTES TOUJOURS AUSSI AIMABLE AVEC VOS EMPLOYEURS ?

VOUS N'ÊTES PAS MON EMPLOYEUR, CARINI. VOUS ÊTES LE LARBIN DE MON PEUT-ÊTRE FUTUR EMPLOYEUR, NUANCE !

UN INSTANT, SHELTON...

AUTHORIZED ONLY

MR. QUAYLE A DEMANDÉ QUE VOUS METTIEZ ÇA.

DES BINOCULAIRES A' INFRAROUGES !? POURQUOI ?

PARCE QUE VOUS EN AUREZ BESOIN.

AMUSANT. C'EST UN TEST ?

EVIDEMMENT VOUS CONNAISSEZ QUAYLE !

TRÈS DRÔLE, QUAYLE ! ON JOUE A' QUOI ?

A LA MINUTE DE VÉRITÉ.

BIENVENUE EN ENFER SHELTON !!

!?!

PAW PAW

AUGH!

BIEN JOUÉ SHELTON ! JE CONSTATE QUE MALGRÉ VOTRE ÂGE, VOUS N'ÊTES PAS TROP ROUILLÉ. BIEN ENTENDU, LE REVOLVER ÉTAIT CHARGÉ A' BLANC.

!?!

TOUJOURS AUSSI VICIEUX QUAYLE. SOIT DIT EN PASSANT, J'AI QUINZE ANS ET QUELQUES MILLIARDS DE MOINS QUE VOUS.

MAIS DEUX JAMBES EN PLUS, POUR LESQUELLES JE DONNERAIS VOLONTIERS LA MOITIÉ DE MA FORTUNE. BOURBON SUR GLACE, COMME D'HABITUDE ?

DÉSOLÉ POUR CE NUMÉRO DE CIRQUE, SHELTON, MAIS IL NE S'AGISSAIT PAS SEULEMENT DE TESTER VOS RÉFLEXES. ASSEYEZ-VOUS, JE VOUS EN PRIE.

FIGUREZ-VOUS QUE DEPUIS QUELQUES MOIS, JE ME PASSIONNE POUR L'OPTIQUE À INFRAROUGE ET SES APPLICATIONS DANS LE DOMAINE DES ARMES TERRESTRES ET DE LA PHOTOGRAPHIE DANS L'ESPACE.

CES APPLICATIONS, DÉJÀ FORT AVANCÉES COMME VOUS LE SAVEZ, SONT SUR LE POINT DE CONNAÎTRE DE NOUVEAUX DÉVELOPPEMENTS TOUT À FAIT EXTRAORDINAIRES DANS LES ANNÉES QUI VIENNENT. ET GRÂCE À QUOI, CES DÉVELOPPEMENTS ? À CECI. CARINI ! ...

QU'EST-CE QUE C'EST ?

GERMANIUM. 32ᵉ ÉLÉMENT DU TABLEAU DE MENDELEÏEV. SE POLIT COMME DU VERRE ET EST TOTALEMENT PERMÉABLE AUX RAYONS INFRAROUGES.

DONC DEVENU UN COMPOSANT ESSENTIEL, CLASSÉ STRATÉGIQUE, DANS LA GUERRE DES ÉTOILES. LES GRANDES PUISSANCES VENDRAIENT LEUR GOUVERNEMENT AU DIABLE POUR UN APPROVISIONNEMENT SÛR ET RÉGULIER EN GERMANIUM. LEUR PROBLÈME, C'EST QUE CE MÉTAL N'EXISTE QU'EN TRACES INFIMES DANS CERTAINS MINERAIS DE ZINC OU DE PLOMB. SON PRIX, BIEN ENTENDU, A GRIMPÉ EN CONSÉQUENCE.

OR, IL SE FAIT QUE J'AI TROUVÉ UNE SOURCE DE GERMANIUM, SHELTON. LA PLUS RICHE JAMAIS DÉCOUVERTE À CE JOUR. C'EST POUR M'AIDER QUE VOUS ÊTES LÀ. ASSEYEZ-VOUS, VOYONS !

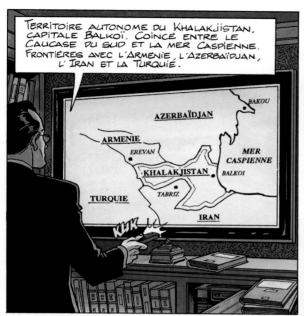

TERRITOIRE AUTONOME DU KHALAKJISTAN, CAPITALE BALKOÏ. COINCÉ ENTRE LE CAUCASE DU SUD ET LA MER CASPIENNE. FRONTIÈRES AVEC L'ARMÉNIE, L'AZERBAÏDJAN, L'IRAN ET LA TURQUIE.

3.8 MILLIONS D'HABITANTS, DONT 60% DE MUSULMANS AU SUD ET 40% D'ORTHODOXES AU NORD. PRINCIPALES RESSOURCES : UN PEU DE PÉTROLE DE LA CASPIENNE, LA PÊCHE À L'ESTURGEON, DES MINES DE FER ET DE ZINC ET LE TRANSIT ROUTIER VERS LE GOLFE PERSIQUE ET LES EMIRATS.

LES PROSPECTEURS D'UNE DE MES SOCIÉTÉS FRANÇAISES, LA MINERCO, ONT DÉCOUVERT UN NOUVEAU GISEMENT DE ZINC DANS LA CHAÎNE DU SOURAM, À L'EST DU PAYS. LEUR USINE DE RAFFINAGE DE ZINC DE PLIDOP ÉTANT DÉJÀ LARGEMENT SATURÉE, LES KHALAKS SERAIENT RAVIS DE ME VENDRE CE ZINC EXCÉDENTAIRE CONTRE NOS BONNES DEVISES OCCIDENTALES.

LA MINERCO A DONC PRIS UNE OPTION DE TROIS MOIS, LE TEMPS POUR LES PARTIES D'ÉVALUER LES TERMES DE LA TRANSACTION. CETTE OPTION EXPIRE LE 31 DÉCEMBRE DE CETTE ANNÉE, SOIT DANS 70 JOURS.

LE GISEMENT DU SOURAM CONTIENT EFFECTIVEMENT UNE TENEUR TOUT À FAIT EXCEPTIONNELLE DE GERMANITE, LE MINERAI DE BASE DU GERMANIUM.

DÉTAIL QUE LA MINERCO S'EST SAGEMENT ABSTENUE DE SIGNALER AUX KHALAKS.

ET NATURELLEMENT, CE ZINC CONTIENT DU GERMANIUM ?

BIEN ENTENDU, DÈS QUE J'EN AI ÉTÉ AVERTI, J'AI DONNÉ L'ORDRE À LA MINERCO DE LEVER L'OPTION AU PRIX DEMANDÉ SANS ATTENDRE SON TERME. D'AUTANT PLUS QU'UNE GROSSE SOCIÉTÉ MINIÈRE DE JOHANNESBURG S'ÉTAIT ÉGALEMENT MISE SUR LES RANGS. ET C'EST LÀ QU'UN GRAIN DE SABLE INATTENDU A TOUT FAIT CAPOTER.

LAISSEZ-MOI DEVINER ... QUELQU'UN DE VOTRE MINERCO A BALANCÉ L'AFFAIRE AUX KHALAKS ?

C'EST BEAUCOUP PLUS IDIOT QUE ÇA, SHELTON ...

LE GRAIN DE SABLE, LE VOICI !

RENÉ LOIRET, 29 ANS, MARIÉ, UN ENFANT. CHAUFFEUR ROUTIER À LA TRANSTAK. SOCIÉTÉ DE TRANSPORT FRANÇAISE SPÉCIALISÉE DANS LES EXPÉDITIONS VERS LA PÉNINSULE ARABIQUE.

DONC, PASSANT PAR LE KHALAKJISTAN ...

OÙ CET ABRUTI A EU LA CONNERIE, EN AOÛT DERNIER, D'AVOIR UN ACCIDENT QUI A PROVOQUÉ LA MORT DU GÉNÉRAL SELMIIOV, MINISTRE DE LA DÉFENSE ET CHEF D'ÉTAT-MAJOR DES FORCES ARMÉES DE CE CHARMANT PAYS.

VOILÀ LE RÉSULTAT !

JE NE VOIS PAS LE RAPPORT AVEC VOTRE AFFAIRE !

France

Un routier français condamné à trente ans d'emprisonnement au Khalakjistan

Exclusif

Balkoï –

René Loiret, le routier français, est condamné par la Haute Cour de Justice pour avoir provoqué la mort ... ministre

IL N'Y EN AURAIT PAS SI CET IMBÉCILE N'AVAIT ÉTÉ SYNDIQUÉ. NATURELLEMENT, SON SYNDICAT A MONTÉ L'AFFAIRE EN ÉPINGLE POUR QUE LE GOUVERNEMENT FRANÇAIS OBTIENNE LA LIBÉRATION DE LOIRET. MAIS BALKOÏ A REFUSÉ NET TOUT DIALOGUE À CE PROPOS. AUX YEUX DE LEUR OPINION PUBLIQUE, LE RESPONSABLE DE LA MORT DE LEUR GÉNÉRAL EN CHEF DEVAIT PAYER POUR SON CRIME.

LES ROUTIERS FRANÇAIS MENAÇANT DE FAIRE GRÈVE ET DE FOUTRE UNE FOIS DE PLUS LA PAGAILLE SUR LES ROUTES, LA FRANCE A CHOISI UNE SOLUTION À LA MODE ET A DÉCRÉTÉ DES "SANCTIONS ÉCONOMIQUES" À L'ÉGARD DU KHALAKJISTAN. CE QUI NE LUI COÛTE PAS GRAND-CHOSE ET A CALMÉ LE SYNDICAT. MAIS CE QUI EMPÊCHE LA MINERCO DE LEVER SON OPTION.

JE NE VOIS PAS OÙ EST LE PROBLÈME, QUAYLE. FAITES FAIRE UNE NOUVELLE OFFRE PAR UNE DE VOS AUTRES SOCIÉTÉS ÉTABLIES AILLEURS QU'EN FRANCE.

CE SERAIT LA SOLUTION ÉVIDENTE S'IL N'Y AVAIT PAS LES SUD-AFRICAINS ...

J'AI ÉTUDIÉ TOUTES LES POSSIBILITÉS ET JE NE VOIS QU'UN SEUL MOYEN D'OBTENIR CE QUE JE VEUX: FAIRE LEVER L'EMBARGO FRANÇAIS EN SUPPRIMANT LA CAUSE. AUTREMENT DIT, IL FAUT QUE LOIRET SOIT LIBRE ET EN FRANCE AVANT LA FIN DÉCEMBRE !

LE GROUPE DE JOHANNESBURG M'A PRIS DE VITESSE ET A OBTENU DES KHALAKS LA GARANTIE FORMELLE D'EMPORTER L'AFFAIRE SI LA MINERCO NE LEVAIT PAS SON OPTION DANS LES TEMPS. ILS SAVENT AUSSI BIEN QUE MOI CE QUE CONTIENT LE GISEMENT DU SOURAM ET ILS ONT ARROSÉ LES MINISTRES QU'IL FALLAIT EN CONSÉQUENCE.

VOUS VOULEZ DONC LE FAIRE ÉVADER. OÙ EST-IL ENFERMÉ ?

À **ZAPORITZKA**, UNE PRISON DE HAUTE SÉCURITÉ PRÈS DE LA PETITE VILLE DE **RAVNOGOR** DANS LE NORD DU PAYS.

GÊNANTS, SANS PLUS. ILS SE DOUTENT QUE JE VAIS TENTER QUELQUE CHOSE, MAIS ILS NE SAVENT PAS QUOI. À VOUS DE FAIRE EN SORTE QU'ILS CONTINUENT À L'IGNORER.

NATURELLEMENT, IL FAUT QUE CETTE ÉVASION AIT L'AIR DE S'ÊTRE FAITE FORTUITEMENT ET SE DÉROULE SANS EFFUSION DE SANG.

NATURELLEMENT. LES SUD-AFRICAINS, DANS TOUT ÇA ?

VOUS OUBLIEZ QU'ILS M'ONT VU À L'AÉROPORT. S'ILS SE RENSEIGNENT, ILS DEVINERONT VITE QUE VOUS NE M'AVEZ PAS FAIT VENIR POUR VOUS SERVIR D'INFIRMIÈRE.

VOUS N'ÊTES PAS CÉLÈBRE À CE POINT, SHELTON.

MONSIEUR SHELTON, CARINI. CÉLÈBRE, CERTAINEMENT PAS. MAIS SUFFISAMMENT CONNU POUR QUE DE RICHES INDUSTRIELS SACHENT OÙ ME TROUVER POUR ME CONFIER DES MISSIONS TORDUES. VOUS AVEZ DES INFORMATIONS SUR ZAPORITZKA ?

TOUT CE QUE J'AI PU RÉCOLTER EST LÀ : PHOTOS, NOMBRE DE GARDIENS ET DE DÉTENUS, HORAIRES, ETC... LES PHOTOS, JE LES AI PRISES MOI-MÊME LA SEMAINE DERNIÈRE EN JOUANT AU TOURISTE.

ET LE RESTE ?

EN ME FAISANT PASSER POUR UN JOURNALISTE, J'AI INTERVIEWÉ QUELQUES ROUTIERS FRANÇAIS QUI ÉTAIENT PASSÉS PAR ZAPORITZKA POUR L'UNE OU L'AUTRE PECADILLE. AVEC L'AFFAIRE LOIRET, MA CURIOSITÉ ÉTAIT TOUT À FAIT PLAUSIBLE !

BIEN, JE VOUS DONNERAI MA RÉPONSE DANS 48 HEURES, QUAYLE.

D'ACCORD, MAIS PAS PLUS TARD. LE TEMPS PRESSE. BONSOIR, SHELTON.

JE VOUS AI RÉSERVÉ UNE CHAMBRE AU "FONTENOY".

PARFAIT !

879 CJE 93

REVENEZ ME PRENDRE ICI APRÈS-DEMAIN, CARINI. À 18 HEURES PRÉCISES!

À VOS ORDRES, "MONSIEUR" SHELTON. BONNE SOIRÉE.

POURRIEZ-VOUS ME DIRE OÙ SE TROUVE L'ENTRÉE DE SERVICE, JE VOUS PRIE?

VOUS ÊTES CLIENT DE L'HÔTEL?

NON, MAIS J'AI UN PROBLÈME. LE MARI DE MA PETITE AMIE ME FAIT SUIVRE.

JE VOIS...

EN FRANCE, C'EST LE GENRE DE PROBLÈME QUE L'ON PEUT COMPRENDRE. L'ESCALIER DERRIÈRE LES ASCENSEURS, LE COULOIR DE GAUCHE AU PREMIER SOUS-SOL.

MERCI, MON VIEUX!

PARIS, LUNDI 23 OCTOBRE...

TOC TOC

VOTRE PETIT DÉJOUNER, MONSIEUR.

MERCI, MA JOLIE!

HELLO, LARKIN! BELLIE EST LÀ?

JE REGRETTE, M. SHELTON, SIR JONATHAN EST ACTUELLEMENT EN VOYAGE D'AFFAIRES AU MOYEN-ORIENT!

KURDISTAN ORIENTAL, LUNDI 23 OCTOBRE...

PAW PAW PAW PAW PAW

11.

13

RRRAATTRRAAAATR

Là, je crois que mon assureur va **VRAIMENT** m'en vouloir !

Cela t'apprendra à traiter avec cette larve immonde de Zaïm Ghazan, que Chaïtan lui rôtisse le foie !

HÉ!?

Cette chevalière me vient de mon ancêtre, le Duc de Willingsforth...

Tes ancêtres vaudraient-ils plus que les miens ? Sois heureux de garder la vie sauve, Jonathan Bellingham !

SHAVAM!

15

ENVIRONS DE PARIS, LUNDI 23 OCTOBRE.

DEUX JOURS POUR LA CINQ! UNE ENTRECÔTE-FRITES POUR LA DOUZE! LUCETTE, L'ADDITION DE LA TROIS!

ÇA VIENT, LE DESSERT POUR LA SEPT!? MAGNE-TOI LES MICHES, BORDEL!

HO, PIERROT, LE CASSOULET DE LA QUATRE, TU T'ES ASSIS DESSUS, OU QUOI!?

BONJOUR, FERNAND!

TOUJOURS L'AMOUR DE LA BELLE LANGUE FRANÇAISE, À CE QUE J'ENTENDS!

WAYNE!?... WAYNE SHELTON!?...

PAR LES SAINTES ROUBIGNOLES DU PAPE, WAYNE, ÇA FAIT UNE PAIE! C'EST POUR GOÛTER MON PLAT DU JOUR QUE TU AS TRAVERSÉ L'ATLANTIQUE?

BIEN SÛR! ET AUSSI TE POSER QUELQUES QUESTIONS, SI TU AS UNE MINUTE!

METS-NOUS DEUX JOURS ET UNE RÉSERVE DU PATRON À LA HUIT, PIERROT! ET QU'ON NE M'EMMERDE PAS, JE SUIS EN CONFÉRENCE!

QU'EST-CE QUE JE PEUX FAIRE POUR TOI, WAYNE, À PART TE DÉTRAQUER L'ESTOMAC AVEC MON PICRATE?

ME PARLER DE ZAPORITZKA. J'AI VU TON NOM SUR UNE LISTE DE GARS QUI Y ONT PASSÉ UN MOMENT!

16

C'EST QUI, CE TYPE, FERNAND ?

C'EST PAS UN TYPE, PETIT, C'EST UNE LÉGENDE !

CE QUI M'ÉPATE LE PLUS AVEC LUI, C'EST QU'IL SOIT TOUJOURS EN VIE.

À 19 ANS, WAYNE SHELTON COMMANDAIT UNE UNITÉ SPÉCIALE DE SABOTAGE QUI S'INFILTRAIT DERRIÈRE LES LIGNES VIETS EN PASSANT PAR LE LAOS. À ELLE SEULE, SON ÉQUIPE A FAIT PLUS DE DÉGÂTS QUE TOUTE UNE ESCADRILLE DE BOMBARDIERS.

APRÈS ÇA, IL N'A JAMAIS PU SE RÉADAPTER À LA VIE NORMALE. AVEC UN DE SES COPAINS DU VIETNAM, JASON JE NE SAIS PLUS COMMENT, IL S'EST LANCÉ DANS LA CONTREBANDE AU MOYEN-ORIENT. DE BEYROUTH À KABOUL, IL CONNAÎT TOUTES LES PISTES, TOUS LES POINTS D'EAU, TOUTES LES PASSES.

IL Y AVAIT AUSSI UN ANGLAIS AVEC EUX, BELLINGHAM, DIT BELLIE. UN COMTE OU UN BARONNET, JE NE SAIS PLUS, COMPLÈTEMENT GIVRÉ ! CES TROIS-LÀ FORMAIENT UNE SACRÉE ÉQUIPE, TU PEUX ME CROIRE. LEUR BASE OPÉRATIONNELLE ÉTAIT À **KALAHAR**, UNE VILLE AU NORD DU KURDISTAN ORIENTAL.

KALAHAR... J'Y SUIS PASSÉ QUELQUES FOIS, DU TEMPS OÙ JE FAISAIS LA ROUTE. PUTAIN, PIERROT, QUEL PATELIN ! LE PLUS FAMEUX REPAIRE DE VOLEURS QUE TU PUISSES IMAGINER ! TOUT S'Y TROUVE, S'Y VEND ET S'Y ACHÈTE : DROGUE, ARMES, JEU, ALCOOL, PUTES ET PAUMÉS DE TOUTES LES RACES DE LA TERRE... ET DU FRIC, DES MONTAGNES DE FRIC PASSANT SANS ARRÊT DE MAIN EN MAIN... L'ENFER ET LE PARADIS AU MÊME ENDROIT.

SI SHELTON MONTE UNE OPÉRATION ET QU'IL A BESOIN D'ÉQUIPIERS ET DE MATÉRIEL, IL IRA CERTAINEMENT LES CHERCHER À KALAHAR !

QUEL GENRE D'OPÉRATION ?

17.

LE BRUIT COURT QUE DEPUIS QUELQUES ANNÉES, IL S'EST RECYCLÉ DANS UN BUSINESS NETTEMENT PLUS RENTABLE QUE LA CONTREBANDE. LEQUEL EXACTEMENT, JE NE VEUX PAS TROP LE SAVOIR. MAIS CE DONT JE SUIS CERTAIN, C'EST QUE SON PROCHAIN COUP CONCERNE ZAPORITZKA, CE MAUDIT TROU À RATS OÙ J'AI PASSÉ LES PIRES MOIS DE MA VIE AVANT DE LAISSER TOMBER LE BITUME !

ZAPORITZKA, VOUS ÊTES SÛR !?...

JE SAVAIS QUE ÇA T'INTÉRESSERAIT, PIERROT. VU LES QUESTIONS QU'IL M'A POSÉES, JE TE PARIE LES MICHES DE LUCETTE QUE SHELTON EST PAYÉ POUR FAIRE ÉVADER QUELQU'UN DE ZAPORITZKA !!!

MA FEMME... MA FILLE... NOUS PARTONS DEMAIN POUR LA MER DE GLACE !

HEIN ?

AH, PAR EXEMPLE, NOUS EN ARRIVONS ! POURQUOI Y RETOURNER ?*

ASSEZ ! CE VOYAGE M'EST COMMANDANT... HEU... COMMANDÉ PAR LA RECONNAISSANCE !

*"LE VOYAGE DE M. PERRICHON" (E. LABICHE) ACTE IV, SCÈNE 10.

CLAP CLAP

CLAP CLAP

THÉÂTRE BOURGES
ENTRÉE DES ARTISTES

MONSIEUR RÉMY ?...

DAVE RYAN DIRECTEUR DE CASTING DE LA SOCIÉTÉ DE PRODUCTION DREAMWORKS. POURRAIS-JE VOUS INVITER POUR UN SOUPER TARDIF ?

!?

PEU DE MONDE DANS VOTRE SALLE CE SOIR. POURTANT, VOUS ÉTIEZ EXCELLENT DANS LE RÔLE DE MAJORIN...

PEUH... QUI S'INTÉRESSE ENCORE AU THÉÂTRE À L'ÉPOQUE DU MAGNÉTOSCOPE ET D'INTERNET ? MAIS DITES-MOI, M. RYAN... DREAMWORKS, CE N'EST PAS LA SOCIÉTÉ DE STEVEN SPIELBERG ?

EXACT ! C'EST ENCORE CONFIDENTIEL, MAIS M. SPIELBERG PRÉPARE UN NOUVEL "INDIANA JONES" QUI SE TOURNERA EN PARTIE DANS VOTRE PAYS D'ORIGINE, M. RÉMY, LE KHALAKJISTAN.

!?

20

CO... COMMENT SAVEZ-VOUS QUE...?

ME RENSEIGNER FAIT PARTIE DE MON MÉTIER. MICHEL RÉMY EST VOTRE NOM DE SCÈNE. VOUS VOUS APPELEZ EN RÉALITÉ VANKO BOJADZIK, VOUS AVEZ 58 ANS ET VOUS ÊTES KHALAK D'ORIGINE, NATURALISÉ FRANÇAIS DEPUIS UNE TRENTAINE D'ANNÉES.

BREF, VOUS ÊTES EXACTEMENT L'HOMME QUE JE CHERCHAIS POUR UN SECOND RÔLE IMPORTANT DANS LE FILM. EN OUTRE, COMME INTERPRÈTE, VOUS POURRIEZ AIDER M. SPIELBERG À DIRIGER LES FIGURANTS LOCAUX. À VOTRE SANTÉ, M. BOJADZIK !

JE PRÉCISE QUE LE CACHET SERAIT DE L'ORDRE DE 200.000 DOLLARS, TOUS FRAIS PAYÉS BIEN ENTENDU. QU'EN PENSEZ-VOUS ?

JE... JE DOIS RÉFLÉCHIR... CONSULTER MON AGENT...

PARDONNEZ-MOI D'ÊTRE DIRECT, M. BOJADZIK, MAIS IL Y A AU MOINS DIX ANS QUE VOUS N'AVEZ PLUS D'AGENT. ET VOUS SAVEZ MIEUX QUE MOI QUE VOTRE NOM SUR LES AFFICHES N'A JAMAIS DÉPASSÉ LE DEMI-CENTIMÈTRE.

QUOI QU'IL EN SOIT, VOICI 2.000 DOLLARS POUR VOUS AIDER À RÉFLÉCHIR. IL ME FAUDRA VOTRE RÉPONSE DEMAIN MIDI AU PLUS TARD !

REPRENEZ VOTRE ENVELOPPE, M. RYAN. C'EST TOUT RÉFLÉCHI, J'ACCEPTE ! QUAND DOIT COMMENCER LE TOURNAGE ?

LE MOIS PROCHAIN. JE VOUS ENVERRAI UN CONTRAT ET UN BILLET D'AVION !

POUR BALKOÏ ?

NON, ISTANBUL. C'EST LÀ QUE SE RÉUNIRA L'ÉQUIPE DANS UN PREMIER TEMPS !

L'ÉCRITURE DU SCÉNARIO N'EST PAS ENCORE TERMINÉE. MAIS EN DEUX MOTS, IL S'AGIT D'UN PRISONNIER QU'INDIANA JONES DOIT FAIRE ÉVADER D'UN PÉNITENCIER AU KHALAKJISTAN...

BRASSERIE LE CHEVALIER

TAXIS

7308 RP 75

19

UNE HISTOIRE PASSIONNANTE, M. RYAN, COMME LE GRAND PUBLIC LES AIME ! ET MON RÔLE SERAIT... ?

CELUI DU MÉDECIN, NATURELLEMENT ! TAXI !

LE TAXI EST POUR VOUS. MOI, J'AI ENVIE DE MARCHER UN PEU. À TRÈS BIENTÔT M. BOJADZIK ! ...

CARINI, YOU FUCKING BASTARD !?! QU'EST-CE QUE VOUS FOUTEZ LÀ' !?

JE ... C'EST, C'EST M. QUAYLE QUI...

...QUI VOUS A DEMANDÉ DE ME SURVEILLER, C'EST ÇA !? AVEC LES SUD-AFRICAINS COLLÉS À VOS FESSES ? BRAVO !

NON ... ILS ... ILS SONT TOUJOURS EN PLANQUE DEVANT LE "FONTENOY" JE VOUS ASSURE ...

MOI, VOUS CONNAISSANT DE RÉPUTATION, J'AVAIS PRÉVU LE COUP DE LA SORTIE DE SERVICE. UN DE MES HOMMES VOUS Y ATTENDAIT ET VOUS A SUIVI JUSQU'AU "RELAIS SAINT-EUSTACHE" !

C'EST ÇA ! ET JE PARIE QUE VOUS ÊTES CONTENT DE VOUS, ESPÈCE DE CRÉTIN !

ENFIN, CE QUI EST FAIT EST FAIT. ET PUISQUE VOUS ÊTES LÀ, DITES À QUAYLE QUE LE RENDEZ-VOUS DE DEMAIN EST REPORTÉ À 22H. COMPRIS ?

COMPRIS.

PARFAIT. ET MAINTENANT...

...DODO!

JE N'AIME PAS ÊTRE SURVEILLÉ, PETIT ENFOIRÉ !

ENVIRONS DE MADRID, MARDI 24 OCTOBRE.

!? !? !?

VVVRRRRRRRRRRr

23

ROO ROAP

COUPEZ!

TOUT LE MONDE RESTE EN PLACE, ON ENCHAÎNE IMMÉDIATEMENT. FELIPE, À TOI!

ROOP ROOAP ROOAP

MOTEUR! ÇA TOURNE!

x

PABLO ?!?

TU N'AURAIS PAS DÛ L'ÉPOUSER, QUERIDA !

PABLO, NON !

NOOON !

PAW PAW PAW

COUPEZ ! BRAVO TOUT LE MONDE ! ELLE EST BONNE. REPRISE DANS DIX MINUTES. JUAN, PRÉPARE-TOI POUR TA SORTIE !

TOUJOURS LE MEILLEUR CASCADEUR MOTO D'ESPAGNE, À CE QUE JE VOIS. SALUT JUAN !

WAYNE, AMIGO, QUÉ TAL ? J'AI REÇU TON TÉLÉGRAMME HIER SOIR, MAIS JE NE M'ATTENDAIS PAS À TE VOIR SI VITE. IL S'AGIT DE QUOI, CE COUP-CI ?

DE GAGNER 500.000 DOLLARS !

MAIS POUR ÇA, IL FAUDRA QUE TU SORTES UN HOMME D'UN PAYS AUX FRONTIÈRES TRÈS FERMÉES. ÇA TE DIT ?

TAMALE ! AVEC TOI ET POUR 500.000 DOLLARS, JE TRAVERSERAIS L'HIMALAYA SUR UNE ROUE ! C'EST POUR QUAND ?

LE MOIS PROCHAIN. JE T'ENVERRAI UN BILLET D'AVION DANS UNE DIZAINE DE JOURS !

POUR OÙ, L'AVION ?

JUAN, C'EST À TOI !

ISTANBUL ! HASTA LA VISTA, NIÑO. ÇA ME FERA PLAISIR DE RETRAVAILLER AVEC TOI !

25

PRÈS DE PARIS, MARDI 24 OCTOBRE.

JE NE VOUS COMPRENDS PAS, QUAYLE!

VOUS ACHETEZ OU FAITES CONSTRUIRE DE LUXUEUSES RÉSIDENCES UN PEU PARTOUT DANS LE MONDE ET VOUS VIVEZ TERRÉ COMME UN RAT DANS LEURS CAVES.

MÊLEZ-VOUS DE CE QUI VOUS REGARDE, SHELTON! VOTRE RÉPONSE!

J'ACCEPTE LA MISSION. POUR DIX MILLIONS DE DOLLARS.

DIX MILLIONS!? VOUS ÊTES FOU?!?

TAISEZ-VOUS, CARINI! VOUS AVEZ UN PLAN?

L'ÉBAUCHE D'UN PLAN!

LE PROBLÈME NE SERA PAS SEULEMENT DE SORTIR LOIRET DE ZAPORITZKA. IL FAUDRA ÉGALEMENT LE FAIRE SORTIR DU KHALAKJISTAN. J'AURAI BESOIN D'UNE ÉQUIPE ET DE MATÉRIEL. DU MATÉRIEL COÛTEUX. MAIS SI TOUT SE DÉROULE COMME JE L'ESPÈRE, VOTRE ROUTIER SERA EN FRANCE FIN NOVEMBRE.

D'ACCORD, SHELTON, VOUS AUREZ VOS DIX MILLIONS. CINQ TOUT DE SUITE ET CINQ À LA LIVRAISON. COMBIEN SEREZ-VOUS?

SIX!

ON PEUT CONNAÎTRE CE FAMEUX PLAN?

CERTAINEMENT PAS. MOINS VOUS EN SAUREZ ET MIEUX JE ME PORTERAI.

NOUS AVONS QUELQUES AMIS AU KHALAKJISTAN. ILS POURRAIENT VOUS AIDER.

JE NE VEUX PAS DE VOS "AMIS", CARINI. SI VOUS VOULEZ QUE VOTRE PROJET AIT UNE CHANCE D'ABOUTIR, NE LES AVERTISSEZ SURTOUT PAS DE CETTE OPÉRATION.

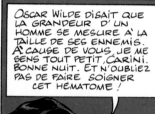

27

EST-CE QUE MRS. JONES SAIT QUE VOUS VOYAGEZ ACCOMPAGNÉ?

MAIS, JE...

APPAREMMENT, VOUS LES AIMEZ BLONDES ET ... GÉNÉREUSES. NOUS ALLONS VÉRIFIER CELA TOUT DE SUITE!

EH BIEN, MR. JONES, VOUS AU MOINS, VOUS NE MANQUEZ PAS DE TONUS ...! MARILYN EN PERSONNE, CHAPEAU!

PPPSSSHHH

IL NE VOUS RESTE PLUS QU'À L'INVITER À DANSER.

HA! HA! HA! HA! HA!

SI, SI, J'INSISTE. MAESTRO, MUSIQUE, JE VOUS PRIE!

MAIS...

JE... JE... JE SUIS CONFUSE, MR. JONES. PAR MÉGARDE, JE VOUS AVAIS EMPRUNTÉ VOS BRETELLES...

!?

...AINSI QUE VOTRE MONTRE, VOTRE PORTEFEUILLE ET VOTRE CRAVATE. POUR ME FAIRE PARDONNER, LA DIRECTION DE L'HÔTEL VOUS OFFRE UN COCKTAIL AU BAR. MERCI, MR. JONES!

ON APPLAUDIT BIEN FORT MR. JONES, MESDAMES ET MESSIEURS!

J'EN AI MARRE DE FAIRE LA GUGUSSE POUR CE PUBLIC À LA CON, ABDUL. MARRE DE CET HÔTEL. MARRE DE DAMAS MARRE DES SYRIENS...

TU AS TORT, HONESTY. DAMAS EST LA PLUS BELLE VILLE DU MONDE.

ET LES SYRIENS SONT LES MEILLEURS AMANTS. JE TE FAIS LA DÉMONSTRATION QUAND TU VEUX!

POUR ÇA, IL FAUDRAIT D'ABORD QUE TU ME BATTES AU ZANG, BONHOMME!

TU GAGNES TOUJOURS AU ZANG, HONESTY! PARCE QUE TU TRICHES!

QUAND J'EN AI ENVIE, JE PEUX AUSSI TRICHER POUR PERDRE, ABDUL. MAIS TU N'ES PAS SUR MA LISTE, DÉSOLÉE!

GUTEN ABEND, FRAULEIN...

VOTRE NUMÉRO AVEC LA POUPÉE GONFLABLE ÉTAIT... ZEHR KOMISCH. TRÈS AMUSANT. JE PEUX VOUS OFFRIR UN VERRE?

NON!

POURQUOI? ON POURRAIT FAIRE LA FÊTE, TOUS LES DEUX... HIPS... J'AI DE QUOI... ET TOI AUSSI.

TU ES SOURDINGUE, HERR DOKTOR? SI TU VEUX TE PAYER UNE PUTE, ADRESSE-TOI AU PORTIER, C'EST SON RAYON.

S'IL SE PLAINT AU PATRON, TU VAS ENCORE DÉGUSTER, MA BELLE!

M'EN FOUS! DEMAIN OU APRÈS-DEMAIN, JE ME CASSE DE CE BLED! ALLEZ, BONNE NUIT!

ALARM! POLIZEI!

C'EST ELLE ! C'EST CETTE TRAÎNÉE QUI M'A VOLÉ !

?

!!

HIMMELKREUTZ SAKRAMENT ! TU VAS ME PAYER ÇA, SALOPÉ !

MONSIEUR... MONSIEUR, JE VOUS EN PRIE, CALMEZ-VOUS !

RENDS-MOI MON PORTEFEUILLE, SCHWEINEREI !

DIS DONC, ADOLF, ÇA NE VA PAS, LA TÊTE ? J'EN N'AI RIEN À CIRER, MOI, DE TON ...

WAYNE !?

WAYNE, MON PREUX CHEVALIER, TOUJOURS LÀ QUAND IL FAUT POUR DÉFENDRE LA VEUVE ET L'ORPHELINE ...

À MA CONNAISSANCE, TU N'ES NI VEUVE NI ORPHELINE, PRINCESSE ! TU AS SIMPLEMENT L'ART DE TE PLONGER DANS LES EMBROUILLES.

QU'EST-CE QUE C'EST QUE CE RAFFUT ? ENCORE VOUS , MISS GOODNESS !?...

TIENS, VOILÀ L'ADJUDANT EN CHEF !

28

30

CETTE FOIS, VOUS AVEZ DÉPASSÉ LES BORNES. JE VOUS CHASSE !

INUTILE DE PRENDRE CETTE PEINE, MON BRAVE, C'EST MOI QUI M'EN VAIS. VOUS POUVEZ FAIRE DESCENDRE MES BAGAGES ET MON MATÉRIEL.

ET LES FAIRE REMONTER AUSSITÔT DANS MA SUITE !

VOTRE SUITE ?

CELLE QUE JE VIENS DE PRENDRE DANS VOTRE ÉTABLISSEMENT. LA 601... MON BRAVE.

AH, OUI, TANT QUE J'Y PENSE... CE GROS PORC A OUBLIÉ SON PORTEFEUILLE AU BAR. IL EN AURA BESOIN POUR SE PAYER SES FANTASMES.

TU ME SAUVES, LA VIE, WAYNE CHÉRI. UN JOUR DE PLUS DANS CE TROU ET JE ME FAISAIS SAUTER LE CAISSON APRÈS AVOIR FLINGUÉ CET ABRUTI DE DIRECTEUR. C'EST QUOI, LE JOB ?

UN BOULOT À 500.000 DOLLARS. TU MARCHES ?

500.000 DOLLARS ?!? JE NE MARCHE PAS, JE PLONGE ! YAHOOO !

HÉ, DOUCEMENT, PRINCESSE... JE N'AI PLUS VINGT ANS, MOI !

JE VAIS TE LES REDONNER VIEILLARD. ON LA PASSE OÙ, NOTRE LUNE DE MIEL ?

KALAHAR, LUNDI 30 OCTOBRE.

ALORS ?

IL SEMBLERAIT QUE JASON, MON ANCIEN ASSOCIÉ, SE SOIT RANGÉ. IL TIENT UNE ESPÈCE DE SALON DE THÉ À LA LIMITE DE LA VILLE.

UN SALON DE THÉ? ICI !?

NOTE QUE C'EST PLUTÔT CALME COMME PATELIN. OU ALORS, C'EST MOI QUI VIEILLIS. EN TROIS QUARTS D'HEURE, JE N'AI REÇU QUE CINQ PROPOSITIONS OBSCÈNES.

NORMAL. PASSÉ UNE CERTAINE LONGITUDE, CE SONT LES BLONDES QUI ONT LA COTE !

MAIS RASSURE-TOI. AVEC UNE PERRUQUE ET UN BON MAQUILLAGE, JE DEVRAIS POUVOIR TE SOLDER À 5 OU 10.000 DOLLARS.

SALAUD !

C'EST ICI !

TRÈS CHIC ! IL A DU GOÛT, TON COPAIN !

UN SALON DE THÉ, HEIN ? TU CROIS QU'ILS SERVENT **AUSSI** DU DARJEELING ET DES SCONES ?

WAYNE, VIEUX FRÈRE, JE T'ATTENDAIS AVEC IMPATIENCE !

J. Van Hamme + C. Denayer.

JASON McCORMICK, HONESTY GOODNESS.

MES FILLES CRÈVERONT DE JALOUSIE DEVANT TANT DE BEAUTÉ. SOYEZ LA BIENVENUE DANS MA MODESTE DEMEURE, MISS GOODNESS.

TU ES PATRON DE BORDEL, À PRÉSENT ?

ÇA RAPPORTE AUTANT QUE LA CONTREBANDE ET IL Y A MOINS DE RISQUES, SANS PARLER DES AVANTAGES EN NATURE. VENEZ, JE VAIS NOUS FAIRE SERVIR UN PETIT SOUPER.

J'AI REÇU TON TÉLÉGRAMME. TU ES SUR UNE NOUVELLE AFFAIRE ?

EN QUELQUE SORTE. TU AS DES NOUVELLES DE BELLIE ?

OUI, ET ELLES NE SONT PAS BONNES. IL S'EST FAIT VOLER UN CHARGEMENT D'ARMES DESTINÉ À ZAÏM GHAZAN ET CELUI-CI LE RETIENT PRISONNIER DANS SA "CITADELLE" DES MONTAGNES. LA RANÇON EST DE CENT MILLE DOLLARS.

ET TU N'AS RIEN FAIT POUR LE RÉCUPÉRER ?

BELLIE CONNAISSAIT LES RISQUES. ET OÙ VEUX-TU QUE JE TROUVE CENT MILLE DOLLARS ?

TU AS CHANGÉ, JASON. DANS LE TEMPS, TU AURAIS LEVÉ UNE ARMÉE POUR TIRER UN AMI DU PÉTRIN.

C'ÉTAIT DANS LE TEMPS, WAYNE. TOI NON PLUS, TU NE RAJEUNIS PAS !

TRÈS BIEN. DÈS DEMAIN, JE ME TROUVE UN BON BAHUT ET J'Y VAIS !

TU ES FOU !? LES HOMMES DE ZAÏM GHAZAN SONT ARMÉS JUSQU'AUX DENTS !

QUI TE PARLE DE SE BATTRE ? COMME TU VIENS DE ME LE RAPPELER, NOUS VIEILLISSONS TOUS. ET JE VAIS PAYER LA RANÇON, TOUT SIMPLEMENT.

KALAHAR, C'EST UNE VILLE ÉTAPE ?

ILS SONT VENUS ICI DANS L'ESPOIR DE TROUVER UN CHARGEMENT POUR LE RETOUR, ILLÉGAL OU NON. GÉNÉRALEMENT ILLÉGAL, EN SACHANT QUE S'ILS SE FONT PINCER À UNE FRONTIÈRE, ILS SONT BONS POUR QUELQUES ANNÉES DE PENSION COMPLÈTE DANS LE CONFORT DES PRISONS TURQUES OU IRAKIENNES.

POUR CEUX QUI VONT VERS L'IRAN, L'AFGHANISTAN, LE PAKISTAN OU L'INDE, OUI. POUR LES AUTRES, C'EST LE BOUT DE LA ROUTE.

S'ILS NE TROUVENT RIEN, QUAND ILS ONT CLAQUÉ LEUR DERNIER DOLLAR EN DROGUE, AU JEU OU AVEC LES FILLES, ILS REVENDENT LEUR CAMION ET DISPARAISSENT DANS LA NATURE, À MOINS QU'ILS N'ACHÈVENT DE SE LAISSER CREVER SUR PLACE.

HEY, SHELTON !

ÇA FAISAIT UNE PAIE ! TU REVIENS DANS LE CIRCUIT ?

SALUT, GORAN. JE CHERCHE EN EFFET UN BON BAHUT. TON SCANIA N'EST PAS À VENDRE, PAR HASARD ?

NÉGATIF, JE REPARS DEMAIN POUR LAHORE. MAIS IL Y A UN ITALIEN, LÀ-BAS, QUI A UN IVECO EN BON ÉTAT ET QUI VEUT S'EN DÉBARRASSER.

MERCI, JE VAIS ALLER JETER UN COUP D'ŒIL !

34

DIS-MOI, SHELTON... LA FILLE QUI EST AVEC TOI, C'EST UNE NOUVELLE PUTE DE JASON ?

RAVALE TES FANTASMES, SLOVÈNE LUBRIQUE, C'EST MA PARTENAIRE !

DOMMAGE, IL ME RESTAIT UN PETIT PAQUET DE POGNON À CLAQUER. À UN DE CES JOURS, MY FRIEND !

BONNE ROUTE, GORAN !

QU'EST-CE QU'IL VOULAIT, CET ENFOIRÉ ?

TE PROPOSER UNE BRÈVE AVENTURE TARIFÉE. QUAND TU EN AURAS ASSEZ DE JOUER LES PICKPOCKETS DE SALON, TU POURRAS TOUJOURS FAIRE CARRIÈRE DANS LE COIN.

ESPÈCE DE...

ATTENDS...

CE CAMION...

?

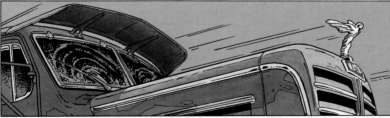

QU'Y A-T-IL, WAYNE ? TU AS VU UN FANTÔME ?

PRESQUE. VIENS !

HÉ, L'HOMME !

IL EST À VOUS, CE BERLIET ?

OUI. JE L'AI ACHETÉ AVANT-HIER À UN MARCHAND LOCAL. POURQUOI ?

OÙ L'AVAIT-IL VOLÉ ?

JE N'EN SAIS RIEN ET CE NE SONT PAS MES OIGNONS. CIGARETTE ?

JE NE FUME PAS, MERCI.

MOI BIEN !

CE SONT DES GAULOISES, MÉFIEZ-VOUS.

J'AI FUMÉ PIRE, NE VOUS EN FAITES PAS. FRANÇAIS ?

PARISIEN. ET VOUS ?

PÈRE ANGLAIS, MÈRE ITALIENNE, NÉE À BRUXELLES. JE SUIS UNE ENFANT DE L'EUROPE.

VOUS L'AVEZ PAYÉ COMBIEN, CE CAMION ?

3.000 ? 5.000 DOLLARS AU PLUS ? JE VOUS EN DONNE 10.000 !

CE SONT LES PAROIS TRUQUÉES QUI VOUS INTÉRESSENT ? MOI AUSSI, FIGUREZ-VOUS.

UN PETIT MALIN, HEIN ? TANT PIS, J'AURAI ESSAYÉ !

IMPRESSIONNANT. TU TRAITES TOUJOURS TES AFFAIRES COMMERCIALES DE CETTE MANIÈRE ?

JE T'EXPLIQUERAI. PRENDS-LUI SES CLÉS, ON S'EN VA !

34

J'AURAIS PRÉFÉRÉ QUE TU RESTES À KALAHAR, PRINCESSE. LES HOMMES DE ZAÏM GHAZAN NE SONT PAS PRÉCISÉMENT DES AGNEAUX.

ET MOI, J'AI L'AIR D'UNE BREBIS ?

DE TOUTE MANIÈRE, JE COURS MOINS DE RISQUES ICI QUE DANS LE SALON DE THÉ DE M. Mc CORMICK. PAS VRAI, M. Mc CORMICK ?

HEU... SANS DOUTE, OUI. QUOIQUE VOUS ME PARAISSIEZ DE TAILLE À VOUS DÉFENDRE.

ZAÏM GHAZAN, COMME TOUS LES PIRATES BIEN ORGANISÉS, A DES ESPIONS PARTOUT. IL SAIT DÉJÀ QUE NOUS SOMMES EN ROUTE AVEC LA RANÇON DE BELLIE.

ON L'A PRÉVENU PAR E-MAIL ?

NE RIEZ PAS, JEUNE FILLE. CES BRUTES ONT BEAU VIVRE COMME AU MOYEN ÂGE, ILS N'EN APPRÉCIENT PAS MOINS TOUTES LES RESSOURCES DE LA TECHNOLOGIE MODERNE. JE PARIERAIS MON FONDS DE COMMERCE QUE ZAÏM GHAZAN A DES COMPTES EN SUISSE ET AU LUXEMBOURG ET DONNE SES ORDRES BANCAIRES PAR INTERNET VIA LE SATELLITE.

NOUS Y SOMMES !

YOSD'IL !!

38

WAYNE, POURRAIS-TU DIRE À CE SINGE DE CESSER DE ME PELOTER À L'ŒIL ?

TU PEUX LE LUI DIRE TOI-MÊME, MA CHÉRIE. SHANDAR COMPREND PARFAITEMENT L'ANGLAIS.

SUIVEZ-MOI ! ZAÏM GHAZAN VOUS ATTEND !

QUAND JE VOUS LE DISAIS...

C'EST FOLKLORIQUE....

...J'AURAIS DÛ APPORTER MON APPAREIL PHOTO.

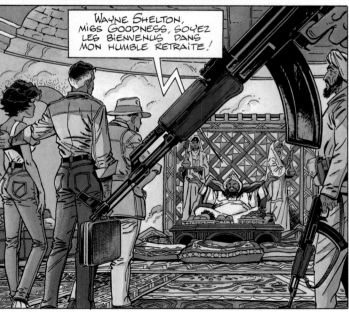

WAYNE SHELTON, MISS GOODNESS, SOYEZ LES BIENVENUS DANS MON HUMBLE RETRAITE !

MAIS PAS TOI, JASON Mc CORMICK. ICI, NOUS N'AVONS QUE MÉPRIS POUR CEUX QUI FONT LE COMMERCE DES FEMMES. FAITES-LE SORTIR !

PRENEZ PLACE, MES AMIS, JE VOUS EN PRIE. VOUS ME FEREZ BIEN L'HONNEUR DE PARTAGER MON REPAS ?

MAIS...

TAIS-TOI ET ASSIEDS-TOI, HONESTY.

IL Y A LONGTEMPS QU'ON NE T'AVAIT PLUS VU PAR ICI, WAYNE SHELTON. JE ME SUIS LAISSÉ DIRE QUE TU AVAIS CHANGÉ D'ACTIVITÉS ?

LA ROUE DU TEMPS TOURNE POUR TOUT LE MONDE, ZAÏM GHAZAN.

MAIS TRÊVE DE SALA-MALECS, VIEUX PIRATE. TU SAIS POURQUOI NOUS SOMMES VENUS.

NATURELLEMENT. TU AS L'ARGENT ?

OUI, MAIS JE VEUX VOIR BELLINGHAM D'ABORD.

C'ÉTAIT PRÉVU. SHANDAR, FAIS VENIR L'ANGLAIS.

VOUS APPRÉCIEZ NOTRE CUISINE, MISS GOODNESS ?

DES TESTICULES DE CHIEN SAUVAGE MARINÉS DANS DU LAIT DE CHAMELLE CAILLÉ, UN METS TRÈS RECHERCHÉ.

C'EST... C'EST INTÉRESSANT. QU'EST-CE QUE C'EST ?

AH, VOICI NOTRE AMI...

HELLO, WAYNE ! SACRÉMENT CONTENT DE TE VOIR, OLD FELLOW !

BELLIE, MON PAUVRE VIEUX... DÉTACHEZ-LE, BON SANG !

UN INSTANT ! SHANDAR, PRENDS L'ARGENT ET COMPTE-LE !

LE COMPTE Y EST !

PARFAIT. EMPAREZ-VOUS D'EUX !

QU'EST-CE QUE...?

HHGGH !

DJERM'AHL !

AARHH !

ÇA... ÇA VA, ON ARRÊTE LE MATCH...

TU ME DÉÇOIS, ZAÏM GHAZAN. TU AVAIS UN CERTAIN SENS DE L'HONNEUR, AUTREFOIS.

C'ÉTAIT AUTREFOIS, MON AMI.

COMME QUELQU'UN ME L'A RAPPELÉ RÉCEMMENT, LA ROUE TOURNE POUR TOUT LE MONDE. LA GUERRE DEVIENT DE PLUS EN PLUS CHÈRE ET CELA ME FERA QUATRE RANÇONS SUPPLÉMENTAIRES. J'AI MES RENSEIGNEMENTS, SHELTON, JE SAIS QUE TU AS LES MOYENS DE PAYER.

MOI PAS!

JE NE PEUX PAS TE PAYER UNE RANÇON, ZAÏM GHAZAN. LAISSE-MOI PARTIR, JE T'EN PRIE. JE NE SUIS POUR RIEN DANS CETTE AFFAIRE. JE...JE N'AI FAIT QU'ACCOMPAGNER WAYNE ET...

TU N'AURAS QU'A VENDRE TON BORDEL, McCORMICK. ÇA SUFFIT, EMMENEZ-LES!

NON!

C'EST MOI QUI LES EMMÈNE. DIS A TES HOMMES DE DÉPOSER LEURS ARMES, ZAÏM GHAZAN...

...C'EST **TOI** QUE JE VISE!

UN AMI A TOI?

NON. MAIS JE NE PEUX PAS DIRE QUE JE LUI EN VEUILLE DE SE MÊLER DE NOS AFFAIRES.

JE SUIS CERTAINE QUE VOUS TROUVERIEZ GROSSIER DE NOTRE PART DE VOUS LAISSER UN POURBOIRE, CHER Mr GHAZAN. NOTRE TROP BREF SÉJOUR CHEZ VOUS FUT UN VÉRITABLE ENCHANTEMENT, MERCI POUR TOUT !

HONESTY, BELLIE, JASON, A' L'ARRIÈRE ! LE FRANÇAIS ET ZAÏM GHAZAN DANS LA CABINE AVEC MOI ! EN VITESSE !

J'ESPÈRE QUE TES HOMMES TIENNENT A' TOI, VIEUX FORBAN, SINON... VRRR VRR RRR...

41-

ON EST PASSÉS ! YAHOOO !

BERLIET

V37 MFM

43

STOP!
NOUS DÉPOSONS NOTRE INVITÉ ICI !

ILS NOUS SUIVENT ?

PROBABLEMENT, MAIS EN RESTANT HORS DE VUE.

ENCORE TOUS MES REGRETS POUR VOTRE BEAU PIANO, CHER ZAÏM GHAZAN. LAISSEZ-MOI VOUS OFFRIR UNE PETITE GÂTERIE EN COMPENSATION.

ET ENCORE MERCI POUR LE DÉJEUNER !

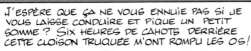

J'ESPÈRE QUE ÇA NE VOUS ENNUIE PAS SI JE VOUS LAISSE CONDUIRE ET PIQUE UN PETIT SOMME ? SIX HEURES DE CAHOTS DERRIÈRE CETTE CLOISON TRUQUÉE M'ONT ROMPU LES OS !

ET CONDUISEZ PRUDEMMENT, S'IL VOUS PLAÎT. C'EST **MON** CAMION !

42

ET SI TU NOUS PARLAIS UN PEU DE TON FAMEUX COUP, WAYNE ? IL Y A COMBIEN À' LA CLÉ ?

VOUS AVEZ DES DOIGTS DE FÉE, MISS GOODNESS.

PAS SEULEMENT LES DOIGTS, SIR JONATHAN. C'EST VRAI QUE VOUS ÊTES COMTE ?

BARONNET SEULEMENT CE QUI EST DÉJÀ SUFFISAMMENT LOURD À' PORTER.

DÉSOLÉ, JASON...

...JE NE PENSE PAS QUE TU SOIS ENCORE DANS LA COURSE. TU T'ES AMOLLI, ET PAS SEULEMENT DU VENTRE.

OUI, TU AS PEUT-ÊTRE RAISON.

MAIS MOI, JE SUIS PARTANT !

POUR LA COURSE, JE VEUX DIRE !

NON !

POURQUOI ? J'AIME LE RISQUE QUAND IL EST SYNONYME DE FRIC, ET JE SAIS TENIR LE VOLANT D'UN BAHUT. QU'EST-CE QU'IL VOUS FAUT DE PLUS ? UN CERTIFICAT DE MORALITÉ ?

JE NE VOUS CONNAIS PAS. ET JE N'AIME PAS TRAVAILLER AVEC DES GENS QUE JE NE CONNAIS PAS !

JE NE SAIS PAS ENCORE QUELS SONT TES PROJETS, OLD BOY, MAIS CE GARÇON A PROUVÉ AUJOURD'HUI QU'IL POSSÉDAIT, DISONS, CERTAINES QUALITÉS, N'EST-IL PAS ?

C'EST VRAI QUE J'AURAIS BESOIN D'UN TROISIÈME CONDUCTEUR...

MADRIER. JE M'APPELLE PIERRE MADRIER !

MADRIER, HEIN ?... JE SUIS CERTAIN DE T'AVOIR DÉJÀ VU QUELQUE PART...

CHEZ FERNAND ! LE RESTAURANT ROUTIER PRÈS DE PARIS ! TU ÉTAIS GARÇON DE SALLE CHEZ FERNAND !

DONC, DE GARÇON DE RESTAURANT, TE VOILÀ DEVENU ROUTIER. ET TU TE RETROUVES COMME PAR HASARD À KALAHAR EN MÊME TEMPS QUE MOI... QU'EST-CE QU'IL T'A RACONTÉ SUR MOI, FERNAND ?

CE QU'IL SAVAIT, C'EST-À-DIRE PAS GRAND-CHOSE...

NE JOUE PAS AU CON, MADRIER ! **QU'EST-CE QU'IL T'A DIT ?!**

QUE VOUS EXÉCUTIEZ DES MISSIONS TRÈS BIEN PAYÉES ET QUE VOUS PASSERIEZ PROBABLEMENT PAR ICI POUR RETROUVER VOS ÉQUIPIERS ET ACHETER DU MATÉRIEL.

BON, BEN... JE VAIS ALLER FAIRE PRÉPARER LE DÎNER.

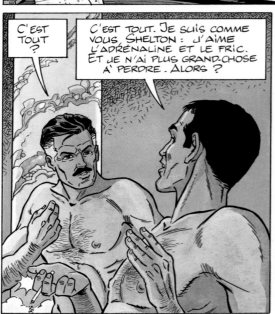

C'EST TOUT ?

C'EST TOUT. JE SUIS COMME VOUS, SHELTON : J'AIME L'ADRÉNALINE ET LE FRIC. ET JE N'AI PLUS GRAND-CHOSE À PERDRE. ALORS ?

SOIT. NOUS PARTIRONS DÈS QUE J'AURAI TROUVÉ DEUX AUTRES CAMIONS CONVENABLES. JE TE PRENDS À L'ESSAI JUSQU'À ISTANBUL. D'ACCORD ?

D'ACCORD !

À CONDITION QUE TU ME LAISSES CONDUIRE **TON** CAMION

BIENVENUE AU CLUB !

MERCI.

DITES-MOI, PIERRE, VOUS SAVEZ JOUER AU ZANG ?

KURDISTAN ORIENTAL, JEUDI 2 NOVEMBRE.

NOUS SOMMES SUR LE TERRITOIRE DE DJEMAÏL KHAN. MIEUX VAUT DORMIR DANS LES CAMIONS ET MONTER LA GARDE À TOUR DE RÔLE !

JE PRENDRAI LE PREMIER TOUR, BELLIE LE SECOND ET MADRIER LE TROISIÈME, O.K. ?

D'ACCORD !

O.K. !

BREAKFAST À 5H30, DÉPART À 6H00. ET PAS TROP DE PARTIES DE ZANG, HEIN ? NOUS AVONS ENCORE UNE LONGUE ROUTE À FAIRE.

OUI, CHEF ! À VOS ORDRES, CHEF !

VVRRR VRRR VRRRR

?

QUE SE PASSE-T-IL?

ON DIRAIT QUE VOTRE AMI ANGLAIS A PROFITÉ DE SON TOUR DE GARDE POUR NOUS LAISSER TOMBER.

BELLIE? PAS SON GENRE. IL DOIT AVOIR UN PROBLÈME PERSONNEL À RÉGLER DANS LE COIN. IL VAUDRAIT MIEUX LE RATTRAPER AVANT QU'IL NE FONCE TÊTE BAISSÉE DANS UN SAC DE NOEUDS.

POUR ÇA, IL FAUDRAIT QUE VOS CLÉS SOIENT TOUJOURS SUR VOTRE TABLEAU DE BORD. LES MIENNES, ELLES, N'Y SONT PLUS!

TU AS RAISON... L'ENFANT DE SALAUD DE FILS DE PUTE!

QU'EST-CE QU'ON FAIT?

ON N'A PAS LE CHOIX, ON ATTEND.

LE VOILÀ!

ET IL N'EST PAS SEUL!

PAW PAW PAW

UN GAVEAU DE 30.000 DOLLARS ! CES BRUTES INCULTES VONT ME LE DÉSACCORDER !

TU N'AURAS QU'À FAIRE JOUER TON ASSURANCE ! MAIS NOUS NE SOMMES PAS ICI POUR PARLER MUSIQUE !

JE CROIS T'AVOIR EXPRIMÉ UNE REQUÊTE, JONATHAN BELLINGHAM. CELA ME CHAGRINERAIT DE DEVOIR PARLER DE TOI AU PASSÉ !

C'EST DEMANDÉ SI GENTIMENT...

CE SONT DES PARTITIONS, JE SUPPOSE ?

DES AK 47 À TIR RAPIDE ! DES INSTRUMENTS PARFAITS POUR MONTER UN ORCHESTRE SYMPHONIQUE, J'EN CONVIENS !

J'AI POUR PRINCIPE DE NE JAMAIS M'OCCUPER DES MOTIVATIONS DE MES CLIENTS, DJEMAÏL KHAN. TU LE SAIS FORT BIEN, D'AILLEURS...

... ET VOILÀ, JE LE SAVAIS, IL EST DÉSACCORDÉ !

LES PRINCIPES SONT COMME LES CHAMPIGNONS, SIR JONATHAN...

...CERTAINS D'ENTRE EUX PEUVENT ÊTRE MORTELS !

LE SALAAM SUR TOI, DJEMAÏL KHAN !

ET SUR TOI LE SALAAM, JONATHAN BELLINGHAM !

PUIS-JE SAVOIR CE QUI ME VAUT LE PLAISIR DE CETTE EMBUSCADE, HONORABLE PRINCE DES BANDITS ?

DISONS QUE LE VENT DU DÉSERT M'A SOUFFLÉ QUE TU EFFECTUAIS UNE LIVRAISON POUR CE RAT VISQUEUX DE ZAÏM GHAZAN ! ...

LE VENT NE MENT JAMAIS, DJEMAÏL KHAN. JE LUI APPORTE EN EFFET QUELQUE CHOSE QU'IL A COMMANDÉ À BEYROUTH. DÉSIRES-TU VOIR DE QUOI IL S'AGIT ?

JE N'OSAIS TE LE DEMANDER...

VOILÀ !

UN PIANO, VRAIMENT ? POUR CE CHIEN PUANT QUI NE SAIT MÊME PAS LIRE NI ÉCRIRE SON PROPRE NOM ! ...

DÉCHARGEZ-MOI CE RIDICULE OBJET, VOUS AUTRES ! QUANT À TOI, SIR JONATHAN ...

...DONNE-MOI LA TÉLÉCOMMANDE !

ESPÈCE DE...

PLUS TARD, LES EXPLICATIONS! ON LÈVE LE CAMP!

PAW PAW PAW

TiUU TiUUU

PAW PAW PAW

ON PEUT SAVOIR CE QUI T'A PRIS?

UN BIJOU DE FAMILLE À RÉCUPÉRER CHEZ DJEMAÏL KHAN. TU AURAIS DÛ VOIR SA TÊTE QUAND JE LUI AI PRATIQUEMENT ROULÉ SUR LE VENTRE DANS SA TENTE.

ET SI TU T'ÉTAIS FAIT AVOIR? JE TE RAPPELLE QUE J'AI BESOIN DE TOI, ESPÈCE D'ENFOIRÉ.

MEKTOUB. IL Y A CERTAINES CHOSES QU'UN YANKEE SANS AÏEUX DIGNES DE CE NOM NE PEUT PAS COMPRENDRE.

TU NE TE BAIGNES PAS ?

ME METTRE NUE DEVANT TROIS HOMMES !? ET MA PUDEUR, ALORS ? TIENS, REGARDE PLUTÔT CE QUE J'AI TROUVÉ DANS LE PORTEFEUILLE DE NOTRE PETIT FRANÇAIS.

Complice de l'évasion de l'anarchiste Kiril Tarnovo, son défenseur, Me Pierre Madrier, condamné à deux ans de prison

VOUS EN TIREZ UNE TÊTE. ENCORE UN PROBLÈME ?

OUI, TOI. IL Y A DES SOUVENIRS PERSONNELS QU'ON NE DEVRAIT PAS GARDER SUR SOI, MAÎTRE MADRIER !

JE VOIS. ET ALORS ? TOUT LE MONDE A UN PASSÉ !

ALORS, JE TROUVE QU'AVOCAT, ANCIEN TAULARD, GARÇON DE RESTAURANT, ROUTIER ET CANDIDAT AVENTURIER, ÇA COMMENCE À FAIRE BEAUCOUP POUR UN TYPE DE TON ÂGE. TU NE TRAVAILLERAIS PAS AUSSI POUR LES SUD-AFRICAINS, PAR HASARD ?

QUELS SUD-AFRICAINS ? J'AI AIDÉ TARNOVO POUR LE FRIC, SHELTON. RIEN QUE POUR LE FRIC. DE TOUTE MANIÈRE, J'EN AVAIS ASSEZ DU BARREAU.

JE VOUS AI DIT QUE JE N'AVAIS PLUS RIEN À PERDRE. MAIS SI ÇA VOUS POSE UN CAS DE CONSCIENCE, TANT PIS. JE REPRENDS MON BERLIET ET JE M'EN VAIS.

INTÉRESSANT. ALORS ?

ALORS, IL MENT. CE N'EST PAS LE GENRE DE TYPE À SE MOUILLER POUR DE L'ARGENT.

48-

L'ENNUI, C'EST QUE CE GARÇON COMMENCE À TE PLAIRE. À MOI AUSSI, D'AILLEURS.

BIEN VU, BELLIE. DONC, POUR L'INSTANT, IL RESTE AVEC NOUS. ON TÂCHERA D'Y VOIR PLUS CLAIR À ISTANBUL !

IZMIR (TURQUIE) LUNDI 6 NOVEMBRE.

UNE HUSQVARNA 570 TC... MON RÊVE DEPUIS TOUJOURS, AMIGO!

CE SERA LA CERISE SUR TON GÂTEAU, JUAN!

TU SAIS JOUER AU ZANG, JUAN?

QUE?

49 -

ISTANBUL, MERCREDI 8 NOVEMBRE.

VOUS AVEZ LES PAPIERS ?

ÉVIDEMMENT SINON JE NE SERAIS PAS ICI !

CELA ME PARAÎT EN ORDRE. DES NOUVELLES DE VOS SUD-AFRICAINS ?

AUCUNE. ILS ONT CESSÉ DE SURVEILLER LA RÉSIDENCE DE Mr QUAYLE.

MMH... JE NE SUIS PAS SÛR QUE CE SOIT UNE BONNE CHOSE.

VOUS PENSEZ QU'ILS AURAIENT PU VOUS REPÉRER ?

JE NE LE CROIS PAS. MAIS ILS ONT FORCÉMENT COMPRIS QUE NOUS AVIONS UN PLAN.

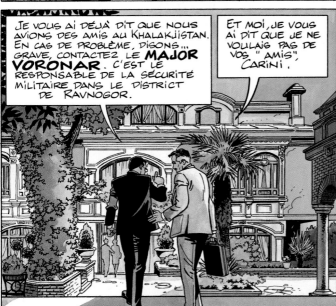

JE VOUS AI DÉJÀ DIT QUE NOUS AVIONS DES AMIS AU KHALAKJISTAN. EN CAS DE PROBLÈME, DISONS... GRAVE, CONTACTEZ LE **MAJOR VORONAR**. C'EST LE RESPONSABLE DE LA SÉCURITÉ MILITAIRE DANS LE DISTRICT DE RAVNOGOR.

ET MOI, JE VOUS AI DIT QUE JE NE VOULAIS PAS DE VOS "AMIS", CARINI.

ET ENCORE MOINS D'UN MILITAIRE. SI VOUS AVERTISSEZ CE VORONAR, TOUTE L'OPÉRATION EST À L'EAU. EST-CE CLAIR, CARINI ?

TRÈS CLAIR, "MONSIEUR" SHELTON.

BIEN, NOUS NOUS REVERRONS À PARIS DANS UNE QUINZAINE DE JOURS. AVEC LOIRET. VOUS POUVEZ DIRE À QUAYLE DE PRÉPARER SON CHÈQUE.

VOILÀ EN DEUX MOTS L'OBJECTIF, LES ENFANTS : FAIRE ÉVADER CE LOIRET DE ZAPORITZKA, "FORTUITEMENT" ET SANS EFFUSION DE SANG. DONC SANS ARMES. AVEC 500.000 DOLLARS À LA CLÉ POUR CHACUN D'ENTRE VOUS.

BIEN ENTENDU, TU AS UN PLAN ?

OUI, DANS LEQUEL CHACUN AURA SON RÔLE À JOUER ET QU'IL FAUDRA AFFINER EN FONCTION DES ÉLÉMENTS QUE NOUS DÉCOUVRIRONS SUR PLACE. MAIS JE VOUS EN PARLERAI EN DÉTAIL DEMAIN, QUAND J'AURAI ÉTÉ CHERCHER NOTRE DERNIER ÉQUIPIER À L'AÉROPORT.

UN SIXIÈME ASSOCIÉ? ON VA POUVOIR MONTER UNE ÉQUIPE DE VOLLEY-BALL. JE LE CONNAIS?

NON, C'EST UN AMATEUR. UN COMÉDIEN FRANÇAIS D'ORIGINE KHALAKE QUI A PRIS LE PSEUDONYME DE MICHEL RÉMY.

ÇA TE DIT QUELQUE CHOSE, LE PARISIEN?

HEU... NON. MOI, VOUS SAVEZ, LE THÉÂTRE, CES DERNIÈRES ANNÉES...

BON, C'EST LE MOMENT DE VOUS REPOSER LA QUESTION : VOUS ÊTES TOUJOURS PARTANTS?

QUESTION SUPERFLUE.

AVEC TOI JUSQU'AU BOUT DU MONDE, WAYNE CHÉRI.

SEGURO!

MADRIER?

JE FAIS TOUJOURS PARTIE DE L'ÉQUIPE?

JE PENSE QUE OUI. JE N'AI PAS LE TEMPS DE CHERCHER QUELQU'UN D'AUTRE.

C'EST BON DE SE SENTIR DÉSIRÉ. MAIS IL Y A UN GROS POINT FAIBLE DANS VOTRE BEAU PROJET.

LEQUEL?

RENÉ LOIRET LUI-MÊME. COMMENT ALLEZ-VOUS L'AVERTIR DE CE QUI SE PRÉPARE?

EN LUI RENDANT VISITE EN PRISON.

TROP ALÉATOIRE. S'IL EST AUSSI COUILLON QUE SON DOSSIER SEMBLE VOUS L'AVOIR INDIQUÉ, IL PEUT PRENDRE PEUR ET REFUSER DE JOUER LE JEU. EN OUTRE, VOUS IGNOREZ SI LES VISITES SONT AUTORISÉES SANS PASSER PAR UNE LONGUE PROCÉDURE ADMINISTRATIVE.

UN POINT POUR TOI! QUELLE AUTRE SOLUTION PROPOSES-TU, MAÎTRE?

LA SEULE POSSIBLE. UN D'ENTRE NOUS DOIT TROUVER LE MOYEN DE SE FAIRE ENFERMER À ZAPORITZKA.

DE PRÉFÉRENCE UN FRANÇAIS COMME LUI. DE SA GÉNÉRATION ET QUI AURAIT DÉJÀ L'EXPÉRIENCE DE LA PRISON. QUELQU'UN CAPABLE DE CAPTER SA CONFIANCE.

QU'EST-CE QUE TU NE FERAIS PAS POUR 500.000 TICKETS, HEIN, PIERROT?

IL FAUDRA QUE TU M'EXPLIQUES UN JOUR À QUOI TU FONCTIONNES **RÉELLEMENT**, MADRIER.

D'ACCORD, JE VOUS L'EXPLIQUERAI. MAIS **APRÈS** LA RÉUSSITE DE **NOTRE** MISSION.

AAAH... ISTANBUL-LA-MAGNIFIQUE ! QUARANTE ANS QUE JE N'Y ÉTAIS PLUS VENU !

ET BIENTÔT, VOUS ALLEZ REVOIR VOTRE PAYS NATAL, M. BOJADZIK.

ÇA, POUR ÊTRE FRANC, ÇA M'ENCHANTE MOINS, M. RYAN. EN DÉPIT DE LA DISSOLUTION DE L'U.R.S.S., LE KHALAKJISTAN EST RESTÉ,... COMMENT DIRE... TRÈS SOVIÉTIQUE.

BAH, AVEC VOTRE NATURALISATION FRANÇAISE, VOUS NE RISQUEZ RIEN.

LES AUTRES MEMBRES DE L'ÉQUIPE SONT DÉJÀ ARRIVÉS ?

OUI, VOUS LES VERREZ DEMAIN. INSTALLEZ-VOUS TRANQUILLEMENT, JE VOUS ATTENDS AU BAR.

AAAH,... RETROUVER L'ATMOSPHÈRE DES PALACES !... L'AMBIANCE DES PLATEAUX !... LA CHALEUR DES SUNLIGHTS !... M. RYAN, VOUS ÊTES MA BÉNÉDICTION.

MMH... J'AI DEUX NOUVELLES POUR VOUS, M. BOJADZIK. UNE BONNE ET UNE MAUVAISE.

LA BONNE, C'EST QUE VOTRE CACHET NE SERA PAS DE 200.000 DOLLARS, MAIS DE 500.000.

?!?

C'EST... C'EST MERVEILLEUX !... COMMENT VOUS EXPRIMER ?...

LA MAUVAISE NOUVELLE, C'EST QUE JE NE M'APPELLE PAS DAVE RYAN...

... ET QU'IL NE S'AGIT PAS D'UN FILM.

C'EST DE LA FOLIE! JE RISQUE MA VIE DANS VOTRE HISTOIRE!

PEUT-ÊTRE. MAIS AUSSI DE GAGNER 500.000 DOLLARS POUR UN RÔLE DE QUELQUES HEURES. PLUS DE 3 MILLIONS DE FRANCS FRANÇAIS...

...DONT LA MOITIÉ PAYABLE AUJOURD'HUI MÊME SUR UN COMPTE DE VOTRE CHOIX DANS LE PAYS DE VOTRE CHOIX. C'EST ÇA OU LA CAISSE DE RETRAITE DES VIEUX COMÉDIENS NÉCESSITEUX, M. BOJADZIK.

JE SUPPOSE QUE VOS... COMPARSES SONT DES... TRUANDS?

COMME MOI, VOUS VOULEZ DIRE? UN AUTHENTIQUE BARONNET DE VIEILLE SOUCHE, UN CASCADEUR ESPAGNOL, UNE CHARMANTE ARTISTE DE VARIÉTÉS ET UN EX-AVOCAT PARISIEN QUE VOUS CONNAISSEZ PEUT-ÊTRE DE NOM, PIERRE MADRIER.

PIOTR? BIEN SÛR. TOUTE LA PETITE COMMUNAUTÉ KHALAKE DE PARIS CONNAÎT PIOTR MADREC. SON PÈRE ÉTAIT LE CHEF DU PARTI D'OPPOSITION DU GOUVERNEMENT DE BALKOÏ.

PIOTR MADREC!?

IL A PRIS LE NOM DE MADRIER LORS DE SA NATURALISATION. UN GARÇON BRILLANT, QUI S'EST MALHEUREUSE-MENT FAIT CONDAMNER ET RAYER DU BARREAU POUR AVOIR AIDÉ UN PARTISAN DE SON PÈRE À S'ÉVADER D'UNE PRISON FRANÇAISE. IL A TOUJOURS ÉTÉ UN IDÉALISTE, PIOTR.

MAIS J'Y PENSE... VOUS NE CROYEZ PAS QU'IL SERAIT DANGEREUX D'AVOIR CE GARÇON AVEC VOUS? ILS DOIVENT AVOIR TOUT UN DOSSIER SUR LUI AU KHALAKJISTAN...

NE BOUGEZ PAS DE CET HÔTEL, BOJADZIK, JE REVIENS!

NE TIRE PAS CETTE TÊTE-LÀ, WAYNE. ON FAIT JUSTE UN PETIT STRIP POKER POUR PASSER LE TEMPS.

ET ELLE TRICHE!

OÙ EST MADRIER?

MAIS... EN ROUTE POUR LE KHALAKJISTAN AVEC LE M.A.N., COMME TU LUI AS DIT DE LE FAIRE.

?!

IL Y A LONGTEMPS QU'IL EST PARTI ?

JUSTE APRÈS TON DÉPART POUR L'AÉROPORT. IL NOUS A DIT QUE C'ÉTAIENT TES INSTRUCTIONS.

IL Y A UN PROBLÈME ?

OUI, ET UN GROS! CE PETIT SALOPARD NOUS A ROULÉS DANS LA FARINE. IL S'APPELLE PIOTR MADREC ET EST KHALAK.

HOLY GHOST! C'ÉTAIT DONC POUR ÇA QU'IL VOULAIT ABSOLUMENT FAIRE PARTIE DE L'ÉQUIPE. MAIS DANS QUEL BUT ? QU'EST-CE QU'IL PEUT BIEN MIJOTER ?

RIEN DE BON POUR NOUS, FORCÉMENT. MAIS NOUS NE POUVONS PLUS ANNULER L'OPÉRATION. LE TEMPS DE RASSEMBLER LE MATÉRIEL DONT NOUS AVONS BESOIN ET NOUS FONÇONS SUR LES TRACES DE MAÎTRE MADRIER - MADREC. IL SERA TOUJOURS TEMPS DE RÉÉVALUER LA SITUATION SUR PLACE.

WAYNE...

TU TE SOUVIENS DE CES VIEUX WESTERNS ? AVEC RANDOLPH SCOTT, JOËL MAC CREA, GARY COOPER, TOUS CES AVENTURIERS SOLITAIRES QUI NE RÊVAIENT QUE DE RACCROCHER LEURS REVOLVERS ET DE S'ACHETER UNE PETITE FERME POUR FONDER UN FOYER ?...

TU N'AS JAMAIS EU ENVIE DE RACCROCHER TES REVOLVERS, WAYNE ?

FIN DE L'ÉPISODE.

DENAYER + VAN HAMME 2001   COULEURS : B. DENOULET.   PROCHAIN ÉPISODE : "LA TRAHISON"